一起認識世界金融

為什麼全世界不能用同一種錢？

費莉西亞・羅 Felicia Law、

傑拉德・貝利 Gerald Edgar Bailey —— 文

顏銘新 —— 譯

政治大學財政系　吳文傑副教授—— 審定

送給孩子一生受惠的禮物
——良好的金融理財素養

　　每年，美國「維吉尼亞州的經濟教育委員會」（Virginia Council on Economic Education）會定期與銀行業者合作，舉辦一個小學生的「經濟概念塗鴉比賽」，讓參賽的孩子們以色彩、圖案、簡單文字，描繪出一個他們心目中重要的「經濟概念」。

　　舉例來說，就讀國小三年級的小妹妹馬可娜，就在紙上畫了一間販賣著各式各樣美味麵包的麵包店，店外頭站著一位女士與一位小女孩。這位女士手上拿著一袋麵包要送給小女孩，女士說：「謝謝妳剛剛幫我清洗窗戶，這一袋麵包是我們之前同意的工作報酬。」

　　看完這幅畫作的內容，你猜得到這位小三的孩子想傳達的「經濟概念」嗎？是的，沒錯！她是在介紹一個「以物易物」（barter）的經濟概念。這些得獎畫作會搭配經濟概念的介紹彙整起來，最後製作成給美國中小學社會科課程的教師手冊。

　　為什麼他們要辦這樣的「經濟概念塗鴉比賽」呢？理由其實很簡單。因為美國的教育體系早已深刻體認到，**必須及早讓孩子建立基本的經濟概念，學習合宜的金錢價值觀，以及正確的自我管理策略，這些重要的生活基本能力，將會對人的一生造成重大的影響！**

　　當我們做家長的鎮日辛苦工作，疲於奔命的花錢在幫小孩找家教補習、學鋼琴、美術等才藝課，學習運動鍛鍊體能、購買電腦充實基本技能的同時，卻忘了一件更重要且基本的事，那就是提供孩子在面對現實生活中最基本的生存之道——足夠的經濟知識與良好的理財觀念。正如這套書中所言：「世界上的每個人都需要錢。」但是**金錢不僅僅是一種物質，更是一種**

觀念；讓孩子擁有一個快樂、富足的人生，取決的真正關鍵不在於金錢的多寡，而在於孩子對於金錢的價值觀。

培養孩子的經濟知識與理財觀念，必須從小做起。但是對於較小的孩子來說，經濟的概念是很抽象的，其實不僅對於兒童，即使經濟概念的課程早已納入臺灣的課程綱要，許多青少年或是成人對於經濟概念也常是一知半解，甚至覺得無聊、深奧，因而往往敬而遠之。其實經濟知識就在你我的生活之中，但如何讓孩子儘早開始從生活中進行觀察，建立基本的經濟與理財概念？我想讓孩子閱讀一套生動有趣的書籍，絕對是不可或缺的方式。

「親子天下」出版社有鑑於此，去年便請我閱讀並評估這套童書，我閱讀完後，馬上大力推薦，希望他們能夠儘快出版。我推薦的理由有幾點：

第一，臺灣兒童的經濟教育已落後先進國家一大段距離，必須刻不容緩、迎頭跟上。

第二，這套書共分四冊，包括：個人零用錢的管理、家庭所得的運用、國家預算的分配，以及世界貿易的影響。正好符合我心目中對於**兒童學習經濟概念的四個階段——從個人（學習如何管理自己的零用錢）到家庭（了解爸媽如何管理家庭的錢），從國家（認識國家如何管理錢）到全世界（認識世界的錢如何流動）。**

第三，這套書使用淺顯易懂的文字搭配生活化的觀察活動，無論是小孩或大人，都能從書中學習到該具備的經濟知識與理財觀念。

或許仍然有很多家長希望自己的小孩可以變成「小愛迪生」、「小比爾蓋茲」，但請別忘了，未來臺灣的「小巴菲特」和「少年巴菲特」或許就在你家。花點時間，陪伴小孩一起閱讀這套書，你可以一邊充實自己荒廢已久的經濟知識，一邊帶著孩子用嶄新的視野重新認識這個世界。

我由衷且大力的推薦這套書！

政治大學財政系副教授　吳文傑

目錄

PART3　錢不只能用來消費，還能分享　42

你將在本書中學到世界金融的各種知識！

PART 1
世界上五花八門的錢

有些人喜歡四處旅行，
同時收集世界上不同國家的錢幣。
不過每個國家的錢看起來都長得不一樣，
也各自有著不同的名稱和不一樣的價值，
卻能相互進行交易，這是為什麼呢？

錢 到底是個 什麼東西？

對於「錢」，你應該已經具備一定的認識了，錢的正式名稱是「貨幣」，世界上不同的國家各自擁有不同的貨幣。或許你會好奇，為什麼要存在這麼多種不同長相、不同名稱的貨幣？即使是不同國家的貨幣，又為什麼能夠互相交易呢？

　　我們每天都在使用錢，錢之所以被大家所使用，是因為我們都認同它具有某些意義與價值。

　　我們認可……

· 它可以作為計算單位，累積它的價值成為財富。

· 它可以拿來交換物品，使用它來做買賣。

· 它本身也是一種商品。我們可以像是買賣商品那樣的買賣貨幣。

· 你可以把它當作禮品送人，或是運用它來做自己想做的事。

貨幣的價值……
是穩定的？還是變動的？

每一枚硬幣或每一張紙鈔的價值，我們稱之為「購買力」，一般而言這個價值並不會有太明顯的波動。例如1元過了明天還是1元，能夠購買的東西數量多少，也不至於天天改變。

當然，萬一國家發生重大變故，例如戰爭時，硬幣與紙鈔的價值可能會急遽改變；食物突然短缺時，我們可能需要花費比以前更多的貨幣來購買一袋米。

新臺幣和外國的貨幣……值得信賴嗎？

每個國家都有各自的貨幣，臺灣使用的貨幣名稱是「新臺幣」，我們在生活中因為共同信賴新臺幣代表的某種價值而去使用它。有時候我們也需要使用其他國家的貨幣，例如當你跟著家人出國旅行時，進入了外國境內就必須使用當地的貨幣來進行消費。但是當我們回到臺灣後，我們該怎麼保存其他國家的貨幣呢？你是否想過，會不會有一天一覺醒來，你身邊的他國貨幣全都變成了一堆廢紙呢？

問問你的爸媽，他們都是怎麼處理身邊的外國貨幣？

貨幣已經有 6,000年歷史了

我們的老祖宗早就在進行「貿易」這件事了，理所當然，貨幣也不算是什麼新鮮事。幾千年來，各國不斷的相互進行國際貿易，隨著商人們周遊列國買賣貨物的同時，不同國家的貨幣也持續不斷地被交換著。

最早的貿易：以物易物

在許多的原始部落裡，早已存在「以物易物」這種交易方式，簡單的說，就是兩個人拿著自己手上的東西進行交換，如果雙方都剛好需要對方的東西，這樣不失為一個好方法。

後來，當人們開始定居並從事農耕工作之後，「以物易物」仍然持續進行著，例如當他們發現自己所生產的農產品太多，而自己想要的東西卻總嫌不夠時，於是人們開始拿生產太多的農產品去交換那些

他們缺乏卻又需要的東西。這就是最早期的交易方式，當雙方都同意這些貨物的價值可以互換，這筆交易就成交了！

走出村外去交易

剛開始，人們只是和相鄰的村莊或在部落裡進行交易，不過後來當需求開始變得更多元且複雜，例如除了衣物瓶罐之類

的必需品，還包括珠寶、葡萄酒等奢侈品，有一些商人甚至開始超越村落範圍，到愈來愈遠的地方去交換商品。一旦交易數量大增，純粹的「以物易物」就顯得困難，人們便需要一種更好的交易方法來解決問題。

硬幣和紙鈔出現了

終於，人們找出一種新的「交易媒介」來解決困難。一開始他們使用的是硬幣，後來又出現紙鈔。這意味著，人們接受了使用貨幣來取代「以物易物」的交易模式，也代表著人們相信貨幣本身具有價值。換句話說，我們可以用貨幣來購買貨物了。

英文「支付」（pay）的由來

在硬幣成為以物易物的替代品之前，就被使用過很長的一段時間了。不過硬幣最早不是用來交易，而是用來安撫敵人的。我們從英文的「支付」（pay）這個詞就可以明白，pay這個字最早是源自於「安撫」或是「締造和平」（pacify）的拉丁文「pacare」，意思是指一個部族如果想要和其他部族締造和平，必須用一個雙方都能認同的有價值的東西來支付代價，這樣就達成兩者和平的協議。

原來錢也可以換來和平！

飄洋過海、環遊世界的錢

在十五、十六世紀之際，貿易活動同時在陸上和海上興起，許多港埠發展成繁忙的商業中心。隨著對外貿易而起的是一群新興商人和探險家，他們四處交換著本國所沒有的各種物品，並且把一些稀有罕見的物品賣給有錢人，因此這些商人也變得更富有了。

你來我往

西元1271年，年約17歲的義大利人馬可・波羅隨著他的父親和叔叔遠赴東方，當時的中國是由忽必烈所統治的元朝。馬可・波羅一行人取道古老的「絲綢之路」，並且旅居東方共二十四年。馬可・波羅證明了和遙遠的國家往來經商絕非妄想，更有可能是致富之道。

後來，一群歐洲的海洋探險家揚帆大海之上，例如哥倫布、達伽馬、麥哲倫等，他們剛開始大多是向東航行，後來有人轉舵朝西前進，發現了更多新大陸，也探索出更多貿易機會。

在地球的另一邊，從東方啟航而來的是中國明代的鄭和大將軍，他率領著當時世界上最強大的艦隊，憑恃著最基本的航海圖、地圖和航海設備，浩浩蕩蕩的向西航行。

小旅行，大探險

歷史上那些勇於探索未知世界的冒險家，希望能夠從旅行中發現更多富饒的新國家，找到更多從未見過的奇珍異貨，從菸葉、橄欖、香草、金銀、琉璃、珠寶、樹脂及香膏，一直到獼猴、大象等稀有動物，這些他們不曾見識而嘖嘖稱奇的新鮮物品，不僅讓人大開眼界，也因為他們將這些商品帶回本國販賣而財源廣進。

其實探險不一定要出國，平時我們只是在街上行走，都可以成為一場不平凡的探險。請依照下列步驟，記錄下自己的一趟探險之旅。

步驟 1：尋找某地特殊的東西，例如：食物或漂亮的紀念品。

步驟 2：如果你想要擁有這件商品，卻不能拿錢來購買，那麼你要拿什麼對方沒有的東西來交換？

好忙好忙的海港

今天我們把許多生活中容易取得的商品視為理所當然，像是你在商店裡買到的衣服是中國或是泰國製造的，爺爺奶奶喝的紅茶是印度的茶葉，香甜多汁的奇異果來自紐西蘭，爸爸媽媽開著日本製的汽車⋯⋯，國際貿易已經在我們的日常生活中扮演著不可或缺的角色。

大型商港

世界各地的海港隨著商業貿易的熱絡而興起，例如新加坡成為東西方貿易的樞紐；義大利的熱內亞、葡萄牙的里斯本和英國的倫敦等歐洲港口，不但成為商人啟程遠航的出發地，也是各國貿易和商業的中心。

今天，只要是緊鄰著大海的國家，或是國家境內擁有通往大海的河流，通常都會有一個大型的商港。

貨櫃船

最常載運商品橫渡大海的
方式，是用貨櫃船運送的。層
層堆疊的貨櫃讓商品運送變得
更加簡便，貨櫃可以輕易在輪船、火車和貨車之間移動，而不需要把
裡面的物品搬進或搬出，增進國際貿易的效率。

國際貿易讓我們緊密的聯繫在一起

國際間因為商品的貿易，使得各國貨幣相互流通，把全世界數
以萬計的人們緊密連結在一起——工作、購物、旅遊……，即使我們
與其他國家的人們彼此幾乎是完全陌生的，但國家間的貿易卻無時無
刻影響著我們的生活。

全世界的重要大港

- 中國：上海 No.1
- 新加坡：新加坡港
- 中國：香港
- 南韓：釜山港
- 阿拉伯聯合大公國：杜拜港
- 荷蘭：鹿特丹港
- 臺灣：高雄港
- 德國：漢堡港
- 美國：洛杉磯港

認識 世界各國的貨幣

你是否有收集過其他國家的貨幣？你的國家稱自己的貨幣叫什麼呢？每個國家都有自己的貨幣名稱，下面列舉出42個國家的貨幣名稱。

阿富汗

阿爾及利亞

澳大利亞

不丹

巴西

智利

中國

捷克

匈牙利

印度

阿爾巴尼亞

阿根廷

亞塞拜然

孟加拉

保加利亞

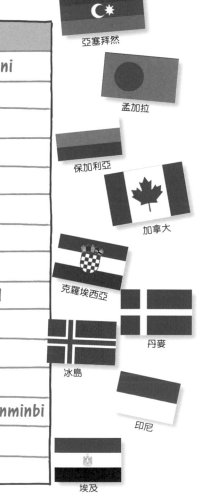
加拿大

克羅埃西亞

丹麥

冰島

印尼

埃及

國家名稱	貨幣名稱
阿富汗Afghanistan	阿富汗尼 afghani
阿爾巴尼亞Albania	列克 lek
阿爾及利亞 Algeria	第納爾 dinar
阿根廷Argentine	披索 peso
澳大利亞Australia	澳元 dollar
亞塞拜然Azerbaijan	馬納特 manat
孟加拉Bangladesh	塔卡 taka
不丹Bhutan	那倫特 ngulrum
巴西Brazil	黑奧、里耳 real
保加利亞Bulgaria	列弗 lev
加拿大Canada	元 dollar
智利Chile	披索 peso
中國China	人民幣 yuan, renminbi
克羅埃西亞Croatia	庫納 kuna
捷克Czech	克朗 koruna

伊拉克

日本

南非

紐西蘭

巴基斯坦

秘魯

菲律賓

瑞士

土耳其

烏克蘭

英國

伊朗

南韓

馬來西亞

摩洛哥

挪威

羅馬尼亞

俄羅斯

沙烏地阿拉伯

臺灣

泰國

美國

越南

丹麥Denmark	克朗 krone
匈牙利Hungary	福林 forint
冰島Iceland	克朗 króna
印度India	盧比 rupee
印尼Indonesia	盾 rupiah
伊朗Iran	里亞爾 rial
伊拉克Iraq	第納爾 dinar
日本Japan	圓 yen
南韓South Korea	圜원 won
馬來西亞Malaysia	令吉 ringgit
墨西哥Mexico	披索 peso
摩洛哥Morocco	迪拉姆 dirham
挪威Norwqy	克朗 kroner
巴基斯坦Pakistan	盧比 rupee
菲律賓Philippine	披索 peso
羅馬尼亞Romania	列伊 leu
沙烏地阿拉伯Saudi	里亞爾 riyal
南非South Africa	蘭特 rand
瑞典Sweden	克朗 krona
瑞士Swiss	法郎 franc
臺灣Taiwan	新臺幣 New Taiwan Dollar
泰國Thailand	銖 baht
土耳其Turkey	里拉 lira
烏克蘭Ukraine	格里夫納 hryvnia
英國British	鎊 pound
美國United States	元 dollar
越南Vietnam	盾 dong

為什麼世界
不使用同一種貨幣？

如果是這樣，那就好了，就像是科幻小說家在書上所寫的「世界圓」（worldthalar）那樣。不過時光不能重來，現在世界各國都有自己的貨幣了，就算是有些貨幣的名稱相同，譬如同樣被叫做「元」，但是它們的價值可不相同。

如何購買別國的貨幣？

當我們出國度假時，就需要購買外國的貨幣。舉例來說，去法國得買歐元，去美國得買美金，而去日本就必須要買日圓。

我們可以在銀行購買外國貨幣，簡稱外幣或是外匯。大多數的銀行都設有外幣櫃臺，你可以兌換歐元、美金或英鎊，有些國家的郵局也能買得到外幣，但像是阿爾巴尼亞列克或是哥倫比亞披索這種較為少見的外幣，可能就得到當

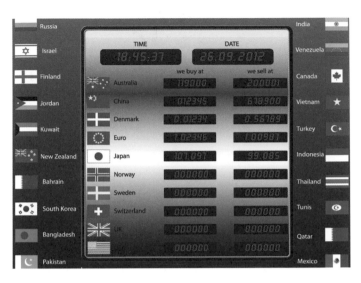

外匯看板上呈現主要貨幣的買賣匯率。

地才能換領了。販售外幣的機構通常會額外向你收取一筆手續費，有些銀行則免收手續費。

把外國貨幣留在身邊要做什麼？

如果你並沒有要出國，但你手上有其他國家發行的硬幣或紙鈔時，該怎麼辦？這也算是錢嗎？當然是啊，因為它不一定只能在當地購物，也可以用來購買其他國家的貨幣呢！

舉例來說，如果你擁有一些日圓，我們可以拿它來買英鎊、美金或是其他國家的貨幣，這就是所謂的「外匯買賣」，或是「貨幣匯兌」。

歐洲共同使用的貨幣——歐元

歐洲有些國家已經達成共識，組成了一個政治經濟聯盟，名叫「歐洲聯盟」（簡稱「歐盟」）。在歐盟裡的二十多個國家致力於共同合作、加強相互貿易，甚至通用同一種貨幣——歐元，這些國家並自稱為「歐元區」。

認識歐元

「歐元」是歐盟發行的貨幣。這種貨幣於1999年開始在歐洲十二個分立的國家通行，並廢除了法國的法郎、義大利的里拉、德國的馬克等國家貨幣，後來部分歐洲國家隨後又陸續加入。目前有19個歐盟會員國採用歐元，包括：奧地利、比利時、芬蘭、法國、德國、希臘、義大利、拉脫維亞、盧森堡、荷蘭、葡萄牙、斯洛伐克、西班牙等。如果你要去這些國家旅行，一定要記得兌換歐元喔！

誰來發行歐元？

「歐元」是由「歐洲中央銀行」（簡稱「歐洲央行」）所發行。「歐洲央行」的主要工作是要維持歐元的穩定，方法是監督各地物價，以確保無論在歐盟境內的任何地方，1歐元所能買到的東西是一

樣多的。例如在法國買一杯咖啡要1歐元,那麼,在歐元區的其他國家應該也是差不多這個價錢。

你認為歐元整合成功嗎?

想一想,和其他國家的人民共享同一種貨幣,代表什麼意義?目前歐洲大部分的國家相距數千公里,人民各自使用著不同的語言、不同的方式過生活和工作著,如今有了共同的貨幣,對人們的生活會造成哪些影響?其實共同貨幣的實際使用狀況,比起**1999**年採行歐元時所能想像的更為複雜,直到今日仍然有許多問題需要克服,對於歐元整合是否成功,社會各界也有著正負兩面的看法。

成功

- 因為不需要兌換貨幣,貿易變得更容易
- 不再有匯率貶值或波動的風險
- 歐洲居民可以在各國比價,得到最划算的商品價格
- 勞動力和貨物可以更輕易在不同的國家間移動
- 由歐洲央行管理貨幣,不會受到任何單一國家的操縱

不成功

- 貨幣機制對經濟興盛的國家比較有利,卻不利於小型國家
- 歐元體制內的國家如果負債太多,會牽累其他的國家
- 強勢歐元可能引起物價上升,卻又妨礙出口

如何兌換 國外的貨幣?

當你在自己國家的商店裡消費,使用的是本國貨幣,不過當你出國想買些東西,就得要使用那個國家的貨幣了。貨幣本身就像是食物、鞋子或其他貨物一樣,也可以被買來賣去。有些人的工作就是負責買賣貨幣呢!

當外國人來我們的國家參觀旅遊時,通常無法使用他們國家的貨幣來購買我們商店裡的東西。他們得先在外匯市場裡用一個特定的匯率,用自己國家的貨幣來兌換我國的貨幣。相同的,當我們出國旅行時也是一樣的道理。

什麼是匯率?

「匯率」指的是用一個國家的貨幣來交換另一個國家貨幣的比率,換言之就是用來購買另一個國家貨幣的價格。需要付多少價格,則必須要同時考慮兩個國家的貨幣價值。

當我們走進銀行、旅行社或是外匯專賣櫃臺時,經常看得到電子看板上各國貨幣的清單,和買賣這些貨幣所對應的本國貨幣金額。

什麼是浮動匯率？

　　匯率制度會依各國的政策分為「浮動匯率」和「固定匯率」兩種，目前大部分的國家都採行浮動匯率，也就是說，這個國家貨幣的匯率價值每天都會改變。當你想要購買國外貨幣時，就一定要密切留意該國貨幣的匯率，因為不同時間購買的匯率會不太一樣。

買賣貨幣是一種專業

銀行中的外匯交易員以及其他與管理金錢相關的工作者，都會無時無刻的察看各國貨幣的匯率變化，好選擇最有利的匯率來買賣各國貨幣。

貨幣的買賣和石油或是小麥等商品的買賣都是一樣的道理。從事各國貨幣買賣的外匯交易員要特別小心謹慎，因為貨幣的價值分分秒秒都會變化。上午你買進的**100塊美金**，很有可能就比下午買得還更貴。

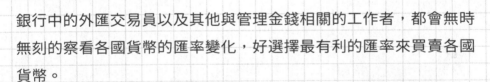

為什麼大家都愛買 黃金？

或許你對黃金不陌生。當你出生時，有些親戚會為你掛上金鎖片，為你祈求守護平安；新人結婚時會戴上金項鍊、金戒指，象徵堅貞的愛情。但是你知道嗎？黃金也曾經是世界各國金錢價值的衡量標準。

真金不怕火煉

黃金不只是一種貴重的金屬，它還具有許多特性：黃金具有「延展性」，可以拉得又細又長、壓得又薄又扁，卻都不容易斷裂。黃金很重，重量相當於同體積的水的19倍。大部分的金屬在受熱之後會軟化，但是黃金比較不容易吸收熱量，所以在高溫時比較不會變形。

黃金的衡量單位

用來衡量黃金的特有單位是「克拉」（carat），這個詞源起自古希臘的「角豆樹」（carobseed），一克拉就等於一粒角豆的重量。克拉現在被用來表示黃金的純度，純度最高的黃金是24克拉。

一般常以24K代表純金，K來自德文的「Karat」一字，意思等於英文的「克拉 Carat」。

24

什麼是「金本位制」？

　　歷史上有一段時期，人們習慣用黃金來作為衡量各國貨幣的標準，我們稱之為「金本位制」。採行金本位制的國家可以用該國發行的固定貨幣價格來交換黃金，便於與別的國家進行交易，當時世界各國政府都努力囤聚大量的黃金來做交易。不過因為世界各國的貿易額愈來愈多，各國的黃金存量已無法用來結算支付，因此現在金本位制已經不被使用了。

　　現代各國的貨幣大部分是用美元、歐元來當作標準，黃金占各國貨幣儲備比例已經降低。黃金的價格在1980年代曾經達到高點，但隨著金價的持續下跌，各國政府也重新思考他們的黃金存量。例如英國、瑞士、荷蘭、比利時、加拿大、阿根廷和澳大利亞等國家的中央銀行，都賣掉了不少的黃金，其中澳大利亞和加拿大還是主要的黃金生產國呢！

　　不過自從2001年美國發生911事件後，黃金的避險需求增加，再加上中國、印度等黃金需求大國經濟的發展，使得黃金的需求急速增加，目前黃金的價格已經超越1980年代的高點。

目前全世界國庫中黃金儲存量最多的是美國，其中最大的金條重達250公斤。

PART 2
來自世界各地的商品與服務

爸爸喜歡去星巴克喝咖啡，
媽媽喜歡用蘋果電腦，
我喜歡穿耐吉球鞋……
在我們的日常生活中，
充滿各式各樣國外品牌的商品，
但是這些商品是怎麼進入我們國家中販賣呢？

國際之間的貿易怎麼進行？

一個國家賺到的錢裡面有大部分都與買和賣有關，買和賣也就是貿易——花錢買需要的東西，以及把別人需要的東西賣給別人。國際間的貿易會加速促進金錢的流轉。

貿易=協議

貿易是什麼？就是買家與賣家雙方透過交換貨物，滿足對方所需，皆大歡喜。貿易常需要訂下協議或是契約，一旦達成交易就不可以反悔。兩國發生貿易是一件極大的好事，雙方各取所需，對兩國整體的經濟發展來說都是有利的。

最早的「專業分工」

人類在幾千年前就進入農業時代，並且開始了農耕生活，會把不需要或過剩的東西拿到其他的村落進行交易。有的部落在某些方面發展得比其他部落更優秀，例如他們比較擅長於削弓造箭，或是用長毛象的毛髮編織飾物，那麼他們就會將這些物品拿去進行貿易。這就是所謂的「專業分工」，而專業分工引發出更多貿易的需求。

國際貿易的進行

「專業分工」直到此時此刻也仍在持續發生，而且規模變得更大。憑藉著比別國擁有更為優勢的天然資源與自然環境，有些國家會大量製造特定的產品或是提供某種特殊的服務。

讓我們來舉個例子：沙烏地阿拉伯生產出他們自己耗用不盡的石油，但是它種不出甘蔗；牙買加的氣候正適合大量種植甘蔗，可是牙買加缺乏石油提煉出汽油和燃料等。

如果沒有貿易上的障礙，沙烏地阿拉伯就能把石油賣給牙買加，而牙買加則把蔗糖賣到沙烏地阿拉伯，如此一來，它們就可以交換各自國家產量最豐富的商品。這種因為「專業分工」產生的國際貿易，使得各個國家得以銷售商品、賺取金錢，進而購買自己國內所無法生產或取得的物品。

各取所需，這就是所謂的國際貿易。

什麼是進口和出口？

為什麼各國都很重視國際貿易呢？那是因為國際貿易的意思就是「互通有無」，各國拿自己有生產優勢的產品，去交換自己無法生產或生產成本太高的產品。於是交易國家雙方都能彼此得利，讓人民能夠享有各種所需的東西。

把東西買進來

進口，是指向國外購買貨品或服務進入國內銷售。我們向國外進口貨物會消耗國家的金錢，導致金錢從自己的國家流向其他的國家。

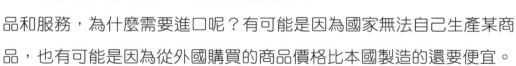

許多國家都會進口一些他們需要的商品和服務，為什麼需要進口呢？有可能是因為國家無法自己生產某商品，也有可能是因為從外國購買的商品價格比本國製造的還要便宜。

什麼是關稅和配額？

大部分的進口經常會受到一些條件限制，例如進口時需要繳稅，也就是「關稅」。有些時候一些國家也限制某些商品可以輸入到國內的數量，就是所謂的「配額」。

也許你會好奇，為什麼要限制數量呢？簡單的說，假設我們的國家裡許多人賴以維生的產業是汽車製造業，如果國家允許進口太多便宜的外國汽車進入國內銷售，大家購買國產車的意願就可能變少，本國的汽車工人可能就要失業了，所以有時候我們需要一些措施來保護本國的產業。

賣東西給別人

出口，是指把本國的貨品或服務供應給其他國家，販賣給那裡的政府或商家。出口對一個國家是有利的，因為它能向國外販售物品及勞務，增加國家財富。

會被出口的商品或提供的服務，通常是輸出國相當擅長製造的商品，或是別的國家特別喜歡的東西。舉例來說，世界出口大國之一的美國向全世界販售耐吉（Nike）的鞋子，主要原因是因為穿耐吉的鞋子是一種流行，並不是別的國家真的那麼需要這個牌子的鞋子。另一方面，美國出口小麥，則是因為美國具有廣闊的國土和合宜的氣候，相當適合種植，而世界上有許多國家並不生產小麥，因此有進口小麥的需求。

為什麼要維持 貿易平衡？

有時候你會聽到新聞報導我們國家的「貿易平衡」，或是有「順差」或「逆差」等用語，國際間的交易數字經常高達好幾千萬，甚至好幾億。到底是哪些人在從事交易？為什麼會用到這麼多的錢？

維持平衡

國家的進口與出口貿易是否平衡，是指拿出口與進口的交易數字來兩相比較的。一個國家的輸出額和輸入額相減所得，就是「貿易差額」，這兩個數額也組成一個國家的貿易平衡。

大部分的國家都試圖在進口和出口之間尋求一個平衡點，所以大量進口貨物的同時，也會增加出口。

國際收支平衡表

「國際收支平衡表」是一國政府用來記錄國家流入和流出金額的帳務表。記錄這一類的帳務能夠幫助政府決定這段期間的出口和進口，是否處於可以承受的平衡狀態，或者需要採取某種行動來維持貿易平衡。

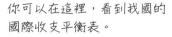

你可以在這裡，看到我國的
國際收支平衡表。

世界上主要仰賴進口的十個國家

⭕ 美國	⭕ 日本	⭕ 香港
⭕ 德國	⭕ 中國	⭕ 荷蘭
⭕ 英國	⭕ 義大利	
⭕ 法國	⭕ 加拿大	

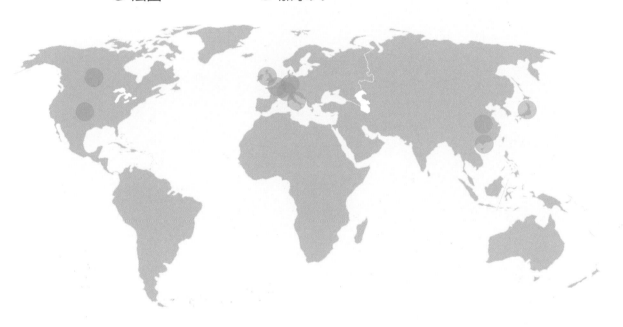

想一想：

1. 決定一國進口某項商品的主要因素有哪些？

2. 如果一個國家非常仰賴進口，可能會發生哪些問題，該用哪些方式來維持貿易平衡？

3. 臺灣如果開放外國商品進口，可能會對哪些人有利？對哪些人不利？

一個國家的門户——海關

現代國家間的國際貿易，經常運用高科技的方式進行商品買賣，一般會透過電話、網路或是銀行匯票來完成。當一國的貿易公司決定好進口另一國貿易公司的商品，在約定好付款的幣別、金額和付款期限，並在匯款之後，還有一些必要程序得完成。

支付關稅

在貨物從國外送達到港口或是機場之後，會先被運送到一個倉庫裡先保管著，等著「海關」來檢查。

為什麼要這樣做呢？這是因為政府要先瞭解進口的產品安不安全，會不會影響國人的健康，或者是農產品有沒有病蟲害等。另外政府也可以從國際貿易活動中賺錢，政府會對這些輸入到國內的商品收取一種稱為「關稅」的稅收費用。

關稅有兩種：

1. 從量稅：針對貨物的數量計算稅金，和商品的價值沒有關係，例如每一桶油需要支付的關稅金額。

2. 從價稅：是依照商品的總價值乘上該商品的稅率，來算出應繳的稅額。

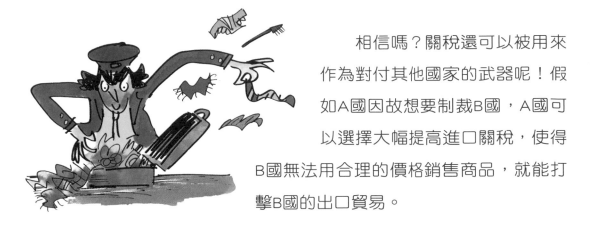

相信嗎？關稅還可以被用來作為對付其他國家的武器呢！假如A國因故想要制裁B國，A國可以選擇大幅提高進口關稅，使得B國無法用合理的價格銷售商品，就能打擊B國的出口貿易。

海關人員的職責

每次當我們出國旅行時，不管是離開或進入國內外，都會經過「海關」，海關人員有時候還可能要求你停留接受檢查。到底什麼是「海關」？海關人員的工作內容是什麼呢？

一般來說，海關人員的職責有兩個：一個是檢查進出口的商品，另一個則是指定正確的關稅。因此海關人員檢查行李的目的，是看看我們有沒有攜帶違禁品，或應該要繳交關稅的東西。如果帶了應該繳稅的物品，最好能夠據實申報。要不然，罰金可是不輕。

外銷大國都賣些什麼呢 ?

世界上主要的商品都是由下面這十個國家所售出的，
你知道他們都賣些什麼嗎？

中國大陸　　電子機械、數據處理機、

　　**美國**　　工業零件和材料、食品、汽車、消費性商品、

德國　　汽車、機器、化學品、紡織品、

日本　　車輛、　半導體、鋼鐵、

荷蘭　　機器設備、化學品、

香港　　電子及電器製品、鐘錶、　服裝與配件、

法國　　農產品、機器、汽車、

韓國　　半導體、通訊設備、汽車、電腦、

義大利　　紡織和服飾、生產設備、汽車、

英國　　工業產品、化學品、

猜猜看，臺灣主要的出口商品是什麼？
答案是：電機設備、機械用具和塑膠製品等。

 服裝、紡織品、 鋼、鐵、光學與醫療設備

動物飼料、 飲料、 燃料和石油製品、飛機

電腦和電子產品、電機設備、藥品、金屬品

汽車零件、 塑膠材料和發電設備

 燃料和食品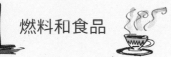

玩具與遊戲

 飛機、塑膠製品、化學品、藥品、鐵、鋼和電子商品

鋼、船舶和石化製品

化學品、 食物、飲料、工程產品、運輸設備、礦產和非鐵金屬

 食物和飲料

為什麼我們喜歡
國際知名品牌？

品牌可以是一種、多種商品或是一家公司，但是它不只如此。品牌是一個名稱，以及這個名稱所帶來的聯想，也就是當我們想著某個商品或是某些商品，自動會浮現腦海的。當多數人願意付出較高的代價購買具有高知名度的品牌商品，代表這個品牌已經被人們認可是具有價值的資產了！

全球品牌

「可口可樂」（Coca-Cola）可能是全世界最知名的品牌之一，每當我們想到深棕色、甜的、發泡的飲料，第一個想到的可能就是「可口可樂」。「耐吉」（Nike）也是另一個我們一想到運動鞋，就馬上會聯想到的品牌。

品牌代表一種保證。大部分知名品牌的企業者都努力建立起消費者肯定和瞭解的品牌價值，希望他們的品牌傳遞給客戶的是一種信賴和可靠。

生活中深植人心的知名品牌

什麼是你心目中的第一領
導品牌？根據**2017**年問卷
調查「全球最有價值的品
牌」，結果位居品牌寶座
的是**Google**，有趣的是，
大部分的知名品牌是源自
於美國。

Google是2017年全球最有價值的品牌。

請觀察下面的品牌，你能辨識出這些品牌的名字嗎？
想一想，你對這些品牌的觀感如何？你認為一個最有價值的品
牌必須具備哪些特色？

商品的價格
是怎麼訂出來的？

訂價格這件事對商人來說很重要。因為每個人可供花用的金錢有限，一旦用了太多的錢買這個，就不能再買別的。你知道一件商品的市場價格是如何制定的？價格高低為什麼會影響人們購買的意願？

訂價格的考慮因素

一般來說，商人在訂定商品價格時會考慮兩個部分：一方面考慮生產商品時耗費的金錢成本，二方面考慮人們為了擁有這種商品所願意支付的價格。對於某些商品像是牙膏、肥皂等生活必需品，因為它們的成本較低，人們對商品價格敏感度高，價格一般來說不會太高；但有些像是名牌等屬於奢侈品的商品價格，可能就和成本沒有太大的關聯，即使價格高昂，還是有人願意掏腰包購買。

超額需求！

萬一有太多人想要買同一種商品，可是這種商品不容易取得或是供給量有限，那麼物品愈稀少，價格必然變昂貴。一旦變得太貴，有些人可能會放棄購買，這時需求量開始減少，只有願意支付較多錢的消費者，才會購買商品了。

因此商品的定價很重要，商品的價值等於人們心中所願意支付的最高價格。廠商訂的價格對了，才會有更多人願意付錢購買。聰明的商家如果發現市場上可能有更多的買家時，就會把定價訂得低一些、利潤少一些，只要多數消費者願意購買，就能賣出更多商品，這就是所謂的「薄利多銷」。

認識「供給」和「需求」

經濟學家通常會用「供給」和「需求」來解釋市場的運作方式，分析消費者對某一個產品的願付價格，以及廠商產出之願售價格，就可以瞭解市場的均衡數量與價格。我們試著用下面的圖來作說明：

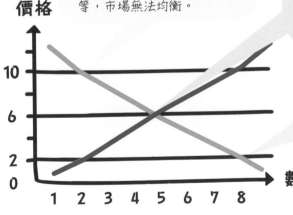

當美味蟹堡價格10元的時候，派大星覺得太貴了，只願意消費2個；但海綿寶寶願意提供8個。因為供需不相等，市場無法均衡。

當美味蟹堡價格6元，派大星願意消費5個，海綿寶寶也願意提供5個數量。這時需求量與供給量相同，市場達到均衡，均衡價格6元，均衡數量5個。

當美味蟹堡2元時，派大星覺得好便宜，願意消費8個；但海綿寶寶只願意提供2個。市場還是沒辦法均衡。

—— 派大星消費美味蟹堡的需求線　　—— 海綿寶寶提供美味蟹堡的供給線

透過供給和需求曲線，我們就可以決定出最適切的商品定價和數量！

PART 3

錢不只能用來消費，
還能分享

在這個世界上，有人非常富有，生活不愁吃穿，
卻還是有好多好多貧窮的人，每天辛苦的過生活。
雖然現在的你還沒開始賺錢，
看起來也似乎無法改變什麼，
但我們還是能超越國界，貢獻自己的力量，
讓這個世界變得更好！

有些國家富有……

這個世界上有富有的人，也有富有的國家。國家的富有或貧窮是怎麼衡量呢？你知道全世界有哪些富有的國家嗎？為什麼這些國家會變得富有？

怎麼評判國家是否有錢？

評判一個國家的富裕程度，通常會用一年之中居住在這個國家內的人，對於該國總體財富的貢獻來做衡量，簡單的說，就是人們賺了多少錢，我們將這個衡量標準稱為「國內生產毛額」，英文簡稱為人均GDP。

為什麼有些國家比較富有？

美國是一個富裕國家的代表例子，它擁有豐富的天然資源，並且能充分利用這些資源來致富。中東地區的一些國家則依賴出產珍貴的天然資源——石油來累積財富。至於位於歐洲內陸的盧森堡，雖然國土小又缺乏天然資源，卻因為稅負低而吸引許多富人遷居於此，成為世界上人均GDP數一數二的國家。

盧森堡的人數雖然不到60萬人，卻是全世界人均GDP最高的國家。

物價也是考量因素

　　有一些國家雖然很富有，但是生活開銷也比較高，被認為是「高生活成本」的國家。「美國經濟學人智庫」（Economist Intelligence Unit）公布了2017年十大全球高生活成本的城市，分別為：新加坡、中國香港、瑞士蘇黎世、日本東京和大阪、南韓首爾等，在這些城市生活的基本消費，可能會貴的讓人咋舌！

世界上最富有的國家

No.1　卡達（**Qatar**）
No.2　盧森堡（**Luxembourg**）
No.3　澳門（**Macao**）
No.4　新加坡（**Singapore**）
No.5　汶萊（**Brunei**）
No.6　科威特（**Kuwait**）
No.7　愛爾蘭（**Ireland**）
No.8　挪威（**Norway**）
No.9　阿拉伯聯合大公國（**United Arab Emirates**）
No.10　聖馬利諾（**San Marino**）
No.11　瑞士（**Switzerland**）
No.12　香港（**Hong Kong**）
No.13　美國（**United States**）
No.14　沙烏地阿拉伯（**Saudi Arabia**）
No.15　荷蘭（**Netherlands**）
No.16　巴林（**Bahrain**）
No.17　瑞典（**Sweden**）
No.18　澳大利亞（**Australia**）
No.19　德國（**Germany**）
No.20　冰島（**Iceland**）
No.21　奧地利（**Austria**）
No.22　臺灣（**Taiwan**）

資料來源：《環球財經雜誌》（*Global Finance*），2016年全球人均財富排行榜

處在貧窮的國家……

這個世界上有貧窮的人，也有貧窮的國家。貧窮的國家大多是指平均每人的GDP很低，或是國家自然資源貧瘠，無法大量出口貨物來賺錢，也有可能是缺乏礦藏、金屬或石油可供開採和銷售。

數以億計的貧民

如何界定「貧窮」呢？這牽涉到價值觀的問題，並沒有一定的標準，不過根據「世界銀行」（The World Bank）的定義，是用每日收入低於1.9美元為絕對貧窮線，在這個界限以下的人們在滿足基本生活需求上是極為辛苦的。目前全世界大概有十億人生活在這種悲慘的生活環境之中，甚至得要靠著從垃圾堆挖掘食物或撿拾垃圾才得以維生。

為什麼國家會窮？

導致一個國家貧窮的原因有很多，例如惡劣的氣候條件和突如其來的自然意外災害，例如旱災、水災等，都可能導致國家的貧窮。有些國家則是因為連年戰爭、土地貧瘠而導致貧窮。

在印度的貧民區，用簡易的板子鋪上布，
就這樣搭成一家人的棲身之所。

資源匱乏

　　還有一些國家擁有的自然資源非常稀少，連供應自己國家所需
都不太夠，自然不可能有剩餘的自然資源可供出口外銷。

　　大部分的貧窮國家都缺
乏現代化的工業，無法生產
具有競爭力的產品。當他們
只能嘗試出口一些售價低廉
但品質不佳的商品，就不
太可能獲得多餘的利潤去
提升工業水準，造成愈來
愈貧窮的困境。

尋找此刻正面臨
貧窮困境的國家

1. 請你上網搜尋或翻閱報章雜
　誌，找一找世界上有哪些國家
　正面臨嚴重的貧窮問題。
2. 請探究為什麼這些國家會貧窮
　的原因，並提出你認為的解決
　之道。

如何讓世界 更平等？

這個世界上有些國家富有、有些國家貧窮，如果由富有的國家借錢給貧窮的國家，是不是就能解決世界貧富差距的問題？有哪些方法能夠讓貧窮的國家不依靠別人、自力更生？

第三世界的國家債務

許多貧窮國家經年累月向富有國家借錢來購買糧食，甚至還有些國家會向別國借錢來應付戰爭所需。我們應該都明白借錢卻還不出來的窘境——即使借錢給我們的人是自己的媽媽，那麼當一個國家無力償還債務時，情況又會是如何呢？

西元2000年，「世界銀行」列出全球42個陷入債務的國家（其中有34個在非洲），這些國家被稱作「重債窮國」，他們背負著龐大債務，連利息都無法自己支付，更別耆談要償還債款本金。更不幸的是，好不容易國家有一些錢，原本可以用來建設國家，像是醫護、教育和基礎建設，但是卻必須先挪來償還債務。

48

借錢永遠不能解決問題

其實自從西元1996年開始，許多國家就察覺應該針對貧窮國家有所行動，最後大家同意免除這些貧窮國家的債務負擔，把它們的債務一筆勾銷，從此不再追索。但是那些被免於債務的國家需要符合一項要求，就是將原本應該要還債的錢，轉為消除國內饑荒與貧窮的方案上。

後來有32個窮國在「世界銀行」的協助下，達到了這一項要求，所以已經被免除債務。其中有一些國家藉此進行經濟改革並獲得成果，例如：安哥拉、緬甸、衣索比亞、柬埔寨和盧安達等國。「世界銀行」官方網站上宣稱，當今世界上這些人民低收入國家，應該可以在2025年之前達到中等收入的水準。

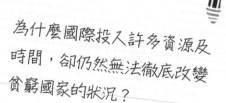

想一想

為什麼國際投入許多資源及時間，卻仍然無法徹底改變貧窮國家的狀況？

什麼是 G7？

G7指的是全世界商業最先進的七個工業化國家，包括：加拿大、法國、德國、義大利、日本、英國、美國。猜猜看，近年來在這些國家之中，哪一國的經濟發展成長最快？

攜手努力

　　G7的目標是透過一年一度的高峰會談，以及各種的政策會議和研究論壇，來討論甚至設法影響全世界的政治、經濟與環境狀況。每一年的會議都選在不同的會員國家舉行。

　　近年來的G7會議主要聚焦在討論跨國的大企業，他們被認為成長過快，而且為了追求獲利而貪得無厭。有的時候G7的會員國會被質疑——比起增進貧窮國家的財富，他們好像比較有興趣在如何累積自己國家的財富上。無論如何，在增進世界和平、攜手解決國際衝突等重要議題上，G7還是能有所共識。

猜到了嗎？
成長最快的
就是日本！

除了G7，還有G20？

說不定G7會員國已經過時了，因為世界上已經出現了新的超級富國。例如中國對世界經濟的貢獻，是歐元區國家加起來的三倍，而印度也正在急起直追。世界經濟正在改變，未來隨時掀起風起雲湧的變化。所以現在有了由十九個國家和歐盟共同組成的機構 —— G20。

變化中的經濟局勢

現在世界經濟發展的主流，已經由已開發國家轉為開發中國家，這是為什麼呢？主要原因在於，已開發國家因為人口老年化及失業率高等因素，經濟發展變得遲緩停滯；相反的，開發中國家以及未開發國家的經濟，因為年輕人口較多，以及外國投資與金錢援助等，導致經濟發展快速成長。

中國是目前經濟發展最快的開發中國家之一。

認識國際經貿組織

「世界銀行」和「國際貨幣基金組織」是附屬在聯合國之下的特別機構，總部都設置於美國華盛頓，主要負責規範國際間的各種匯率與金融問題，以及改善世界上的貧窮狀況。讓我們一起來認識這兩個國際組織！

「世界銀行」的任務

世界上有些角落的人們不只愁困食物的短缺，生活中更欠缺醫療照護、乾淨的水，和充足的電力等最基本的生活必需品。有鑑於此，「聯合國」（United Nations, UN）成立了「世界銀行」（World Bank），希望能夠「建立一個沒有貧窮的世界」。

「世界銀行」並不是真的如字面上所說的是一個實體的「銀行」，而是由180幾個國家共同支持運作的國際組織。這些國家必須確保這個「銀行」裡不會缺錢，並且提供貸款、捐贈和擁有各種技能的專業人員，來援助世界上較為貧窮的國家，改善人民的生活。

這些年來，「世界銀行」已經有超過上千個計劃正在無時無刻進行著。每一刻鐘，世界各地總有新的緊急事件發生，因此「世界銀行」贊助許多偏鄉計劃，像是建造有著迫切需要的水井和供水系統，為人們提供即時和必要的援助行動。

擁有一口水源乾淨的井，
是人們最大的幸福！

「國際貨幣基金組織」的任務

　　「國際貨幣基金組織」（International Monetary Fund，簡稱 IMF）和「世界銀行」的共同之處，都是在致力於幫助世界各國，只不過IMF的服務對象同時涵蓋富有和貧窮的國家，倡導人人都能獲得工作，共同為世界的貿易與社會中所有人的福祉而努力。假使所有的國家都能合作推廣貿易，世界會變得更安全且穩定。

　　雖然「國際貨幣基金組織」並不是一個嚴格定義的銀行，但是這個機構募集和分配大量的金錢，金額高達美金1,210億元，這絕對不是一筆小數目。

IMF的目標

- 健全國際貨幣、維持匯率的穩定。
- 對國際收支發生問題的國家，提供暫時性的協助。
- 促進國際間的貨幣合作。

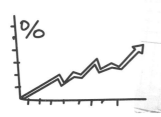

什麼是公平貿易和綠色消費？

多年來，富裕的國家生產出堆積如山的糧食，例如糖、小麥和稻米，數量已經超過他們自己所需，但是他們卻不制止農民少生產一點，而是堅決的要求貧窮的國家來購買，而且價格還不便宜呢！

該怎麼辦？

把多餘的糧食捐助給需要的人，這個建議聽起來似乎有幫助。但是，實際上卻幫不了太大的忙。因為當富有國家的農民販賣生產過多、定價低廉的商品到貧窮的國家（而且還不是免費的），就會影響貧窮國家裡農民的生產機會和利潤。

建立公平交易的機制

你一定會想，這不公平啊，沒錯！因此開始有一些人建立了一個名為「公平交易」的系統，在這個系統裡，我們可以用合理的價錢直接向農民購買產品，減

貼有國際公平交易組織的標誌的香蕉。

少對農民的剝削。例如現在我們在很多商店和咖啡店裡，都買得到「公平交易咖啡」，這種咖啡能確保種植咖啡的農民獲得合理公平的報酬。

公平又環保的綠色消費

和「公平交易」相同，「綠色消費」也是一種世界公民的共識，關注的是我們能不能透過改變消費的模式，購買環保的產品，減少對地球資源的耗竭。我們買的每一樣東西都來自地球的資源，最後會透過另一種形式回歸地球，雖然我們可能根本看不到這些後果，但仍對地球造成了汙染，例如我們購買大量的塑膠製品，就是一個例子。

綠色消費的四個原則

1.拒用不環保的產品：
選用可回收、低汙染、包裝少的產品。

2.減少不必要的消費並節省資源：
自備餐具或購物袋。

3.重複使用生活用品：
養成愛物惜物的心態，不任意丟棄生活用品。

4.貫徹實施資源回收：
徹底了解並做好垃圾分類。

「綠色消費」並不容易做到，因為販賣商品的通路不是到處都有，而且價格可能會貴一些。不過如果我們願意購買對地球友善的商品，我們就能成為讓世界變得更美好的一份子。

處在災難中的國家……

每個國家都有可能隨時遭遇某一種形式的天災人禍，例如大洪水、大地震，甚至是一觸即發的戰爭。這些災禍會迅速的影響到國家的商業和貿易活動的進行，更是影響一個國家能否正常運作的關鍵。

乾旱與飢荒

可惜我們並沒有預知未來的能力，因此在天然災害發生前，我們往往什麼都做不了。長久以來，非洲北部與中部的許多國家，都飽受旱災所苦，而且比起從前每10年到15年才發生一次的乾旱，現在幾乎每5年就發生一次大旱災，狀況比以前更加嚴重，導致農作物嚴重歉收和人民持續饑荒。

造成人民饑荒的原因，除了自然災害以外還有其他的原因，例如：人口快速成長但耕地不足、落後的農業技術導致糧食生產有限、森林消失和土壤流失等。

戰爭

有句話說：「如果我們不結束戰爭，戰爭會結束我們。」一旦兩

國間開啟戰事，或是一個國家裡的不同群體發生內戰時，不僅為人們帶來痛苦的災難和生命損失，也耗費許多的人力資源與金錢，而這些原本可以被更妥善的用來發展國家經濟和提高人民生活水準。根據估計，目前全世界每一天共耗費好幾百萬美金在戰爭上。

原本應該用來投入國家經濟發展的人民，以及改善人民貧窮的經費，卻被挪用來支應軍人和武器裝備。

那些距離我們很遠，卻真實發生的事……

當你閱讀的此時此刻，仍有許多處在戰爭中（含內戰）的國家，你知道這些國家發生戰爭的原因嗎？請自行上網蒐尋，獲得更多的資訊，了解這些距離你很遠、卻意義重大的事。

○ 南蘇丹　　○ 菲律賓　　○ 奈及利亞　　○ 斯里蘭卡

○ 黎巴嫩　　○ 印度　　　○ 利比亞　　　○ 烏干達

○ 伊拉克　　○ 阿富汗　　○ 土耳其　　　○ 緬甸

○ 肯亞　　　○ 馬利　　　○ 俄羅斯

○ 葉門　　　○ 埃及　　　○ 烏克蘭

○ 剛果共和國　○ 索馬利亞　　○ 以色列

對於戰爭，你或許無法感同身受，不妨來看看這支影片，你會更了解什麼是戰爭！

世界上有哪些組織在提供救援？

在我們自己的國家裡安穩長大，閉上眼睛不去看外面的世界，這樣的日子簡單又幸福，但我們不時會透過各種媒體資訊，接收到在我們舒服的安樂窩之外各種問題和不公義的事。如果我們在乎世界上正在發生的事情，並且願意關心和我們一樣居住在這個世界上的人，那麼現在就是我們參與其中的最佳時刻！

聯合國兒童基金會

「聯合國兒童基金會」（UNICEF）是致力於維護兒童權的組織，例如：提供各種基礎教育專案給全世界不分男女的兒童，特別是針對有些藐視女孩受教權的國家。此外，醫療照顧很重要，「聯合國兒童基金會」盡可能推廣為兒童施打疫苗的政策，來預防致命疾病的發生。其他列為優先工作的內容還包括解救受虐兒童，有些國家的兒童被強迫從軍或是成為童工，長時間超時工作卻只獲得微薄的報酬。

UNICEF是全球最大規模的維護兒童權益的組織。

58

紅十字會

　　「紅十字會」（Red Cross）和
「紅色新月會」（Red Crescent Move-
ment）是全世界最大且獨立的人道國際

紅十字會和紅色新月會的標誌

組織，擁有超過一億人的會員人數。這
個組織主要致力於迅速進入災區或是政治衝突的地方，提供食物、
水、居所和醫療用品，也幫助訓練醫護人員和修建醫院，提供各種災
難事故的諮詢與救助。

救助兒童會

　　「救助兒童會」（Save the Children）的足跡踏遍全世界超過四
十個國家，它的目的是幫助家庭改善兒童的健康狀況和受教育機會，
在必要時也提供金錢援助。當有海嘯、地震或是戰爭等災禍爆發時，
這個機構有能力迅速救援受難兒童。

國際慈善組織為人們準備救援的食物與醫療物資。

問題與討論

面對貧窮問題，我們幫得上忙嗎？

　　也許你認為在我們這個遼闊的星球上，有太多的事情發生了，不是我們左右得了的。所以很容易就聳聳肩，說句：「我沒辦法」，就一語帶過。但是，只要你願意試著探索、瞭解世界上究竟有哪些事正發生著，這就是你為世界貢獻心力的一個最基本的起點了。

　　現在我們明白，當世界上有災難發生時，我們可以響應國際組織或慈善機構發起的活動，有時雖然只是一份最微不足道的捐贈，也可能會改變另一個人的一生。我們也可以透過拒絕購買由童工製造的商品，多光顧貼著公平貿易標示的店家，為改變世界盡一份心力。

只用金錢判斷國家富裕的程度，會有什麼問題？

　　想一想，我們應該用一個國家的生產能力和消費能力來判斷國家的富裕程度？還是應該要用這個國家的生活品質、教育普及度、人權狀況，或者是人民的幸福感來作判斷呢？

　　如果一個國家靠著破壞自然資源來賺大錢，例如大量砍伐森

林，或是為了興建豪宅而破壞水土保持的平衡，是否應該把森林消失、土石流等代價從國家的獲利裡扣除掉呢？我們是不是在經濟發展的同時，也應該更加重視乾淨的水質、綠色的森林、清潔的空氣，還有維護珍貴的傳統文化與生活方式？

快樂和財富哪個重要？

不丹王國是一個位於喜馬拉雅山山腳下一個海拔較高的國家。1972年，他們的國王提出「國民幸福毛額」（GNH）的概念，因為他相信追求幸福比追求財富更重要，如果國家一味追求「國內生產毛額」（GDP），卻在經濟成長的同時卻得犧牲古老的傳統、固有的文化，還有優美的高山景致和自然生態環境，那麼他們寧可追求簡單的生活，而不是經濟上的富裕。你的看法呢？

金錢是萬能的嗎？

閱讀完本書我們明白，金錢雖然是推動世界滴答運轉的重要動力，但除了金錢之外，還有許多和金錢一樣重要，甚至比金錢更重要的事，能夠促使世界生生不息。你認為那些是什麼？

本系列與十二年國民基本教育課綱對應表

　　以下彙整本系列與各學習階段「社會領域」課程相對應的內容，期待孩子、家長及教師能將書中內容與學校課程相互搭配，讓金融與理財的知識融入生活、從小紮根，為孩子奠定未來實現理想人生的基礎。

備註：表格中以色塊標示系列冊別，並於其中標注頁數

`理財小達人1`　　`理財小達人2`　　`理財小達人3`　　`理財小達人4`

國民小學中年級（第二學習階段）

課綱主題	能力指標編碼與主要內容	本書相應內容
人與環境	Ab-II-2 自然環境與經濟發展的相互影響	過度消費 P48
生產與消費	Ad-II-1 個人參與經濟活動，與他人形成分工合作的關係	工作 P20-24 消費 P34-45
	Ad-II-2 透過儲蓄與消費，來滿足生活需求	儲蓄 P24-31　`P12` 消費 P34-45　`P34-53`
價值的選擇	Da-II-1 時間與資源有限，個人須學會做選擇	富有與貧窮 P54-59
	Da-II-2 個人生活方式的選擇	
經濟的選擇	Db-II-1 消費時的評估與選擇	量入為出的預算 P18　`P45` 需要與想要 `P10`

國民小學高年級（第三學習階段）

課綱主題	能力指標編碼與主要內容	本書相應內容
人與環境	Ab-III-3 自然環境、自然災害及經濟活動，和生活空間使用的關聯性	天氣影響價格 `P37`
全球關聯	Af-III-2 國際衝突、對立與結盟	戰爭與災難 `P56` 貿易障礙 `P24` G7、G20 `P50` 世界銀行、IMF `P52`
	Af-III-3 參與國際事務，世界公民責任	第三世界債務 `P48` 人道救援 `P58`
社會與 文化差異	Bc-III-2 資源分配不均與差別待遇	家庭養育成本 `P5` 富國與窮國 `P44-47` 外籍勞工 `P49`
價值的選擇	Da-III-1 做選擇時評估風險及承擔責任	負債 `P50-53`　`P14-15`
經濟的選擇	Db-III-1 選擇與理財規劃	收支、儲蓄與投資 `P15-31`

國民中學（第四學習階段）

課綱主題	能力指標編碼與主要內容	本書相應內容
臺灣的產業發展	地Ae-IV-2 臺灣工業發展的特色	臺灣主要出口產品 P36
	地Ae-IV-3 臺灣的國際貿易與全球關連	
食品安全議題	地Cb-IV-1 農業生產與地理環境	影響農業因素 P34-39
交易與專業化生產	公Bn-IV-4 臺灣若開放外國商品進口，對哪些人有利？對哪些人不利？	貿易開放與管制 P22-24
貨幣的功能	公Bp-IV-1 為什麼會出現貨幣？貨幣有何功能？	貨幣演進與功能 P8 貨幣鑄造與發行 P20
	公Bp-IV-2 儲值卡和貨幣的不同	電子貨幣 P11
	公Bp-IV-3 信用卡和使用貨幣的不同	
	公Bp-IV-4 外幣的買賣	匯率與匯兌 P18、21
全球關聯	公Dd-IV-1 全球化過程	跨國品牌 P38

高級中等學校（第五學習階段）

課綱主題	能力指標編碼與主要內容	本書相應內容
誘因	公Bm-V-2 政策影響誘因改變人民行為	租稅政策 P16
交易與專業化生產	公Bn-V-1 專業化生產的好處	專業分工與貿易 P28
	公Bn-V-2 進出口商品的決定因素	工業 P52 各國進出口品項 P28、30、36
國民所得	公Bq-V-2 國內生產毛額（GDP）如何衡量？	GDP P26-31 P44 真正的財富 P60
勞動參與	公Cd-IV-1 勞動參與與經濟永續	勞動與貢獻 P58-59
	公Cd-IV-2 家務勞動與社會參與	家務與打工 P20-23
市場機能與價格管制	公Ce-V-1 市場價格的決定	供需與價格 P40
全球關聯	公Dd-V-3 全球永續發展	公平貿易 P54
貿易自由化	公Df-V-1 貿易自由化	自由貿易 P24
	公Df-V-2 貿易管制的利與弊	開放與管制 P24 關稅與配額 P34

理財小達人4

為什麼全世界不能用同一種錢？
── 一起認識世界金融

作者｜費莉西亞・羅（Felicia Law）
　　　傑拉德・貝利（Gerald Edgar Bailey）
譯者｜顏銘新
責任編輯｜黃麗瑾
文字協力｜劉政辰、廖啟翔
封面設計｜東喜設計
封面插畫｜放藝術工作室
行銷企劃｜陳詩茵

天下雜誌群創辦人｜殷允芃
董事長兼執行長｜何琦瑜
媒體暨產品事業群
總經理｜游玉雪　副總經理｜林彥傑
總編輯｜林欣靜
行銷總監｜林育菁　版權主任｜何晨瑋、黃微真

出版者｜親子天下股份有限公司
地址｜台北市104建國北路一段96號4樓
電話｜（02）2509-2800 傳真｜（02）2509-2462
網址｜www.parenting.com.tw
讀者服務專線｜（02）2662-0332 週一～週五：09:00~17:30
讀者服務傳真｜（02）2662-6048
客服信箱｜parenting@cw.com.tw
法律顧問｜台英國際商務法律事務所・羅明通律師
製版印刷｜中原造像股份有限公司
總經銷｜大和圖書有限公司 電話：（02）8990-2588

出版日期｜2017年10月第一版第一次印行
　　　　　2024年 1 月第一版第十九次印行
定　　價｜300元
書　　號｜BKKKC076P
ISBN｜978-986-95267-8-4（平裝）

國家圖書館出版品預行編目(CIP)資料

為什麼全世界不能用同一種錢?:一起認識世界金融 /
費莉西亞.羅(Felicia Law), 傑拉德.貝利(Gerald Edgar Bailey)著 ;
顏銘新譯. -- 第一版. -- 臺北市:親子天下, 2017.10
　　64 面；18.5×24.5 公分. -- (理財小達人；4)
譯自：World money : how the world spends its money and why
　　ISBN 978-986-95267-8-4(平裝)

　　1.貨幣 2.國際金融 3.外匯 4.通俗作品

561　　　　　　　　　　　　　　　　106016099

照片 本書照片主要出自Shutterstock，其餘照片出處包括：
P.19, Ivsanmas、P.22, Joe Belanger、P.23,Wikipedia、
P.36,Songquan Deng、oneinchpunch、P45, De Visu、
P51, Hector Conesa、P55, Oleg Zabielin、
P.57, Wikipedia、kojoku、inhua/XINHUA/Corbis

訂購服務─────────────
親子天下Shopping｜shopping.parenting.com.tw
海外・大量訂購｜parenting@cw.com.tw
書香花園｜台北市建國北路二段6巷11號
　　　　　電話（02）2506-1635
劃撥帳號｜50331356 親子天下股份有限公司